M000304510

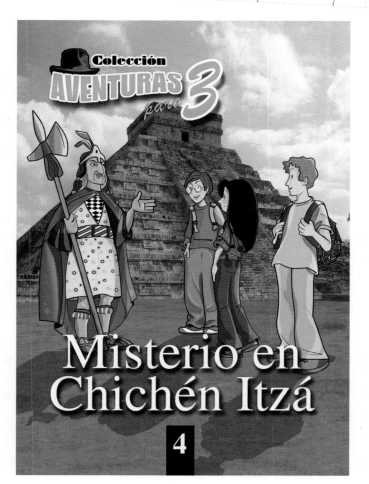

Misterio en Chichén Itzá

4

ÍNDICE

CAPÍTULOS

– Comprensión lectora.
– Usos de la lengua.

Los protagonistas

Andrés
Primo de Juan (los padres de Juan y Andrés son hermanos) y amigo de Rocío. Es delgado, no muy alto. Es
serio, tranquilo, calculador y tiene un gran sentido de la
orientación. Le encantan los ordenadores y la informá-
tica. Estudia en el colegio San José[1], de jesuitas, en Valladolid. Su padre, *Martín*, es biólogo. Su madre, *Laura*,
es diseñadora de moda.

Juan
Primo de Andrés. Es muy amigo de Rocío. Es alto,
fuerte y muy ágil. Tiene un carácter alegre e impulsivo
y no tiene sentido de la orientación. Estudia en el instituto Zorrilla. Su padre, *Esteban*, es profesor de Educación Especial. Su madre, *Carmen*, es fisioterapeuta.

Rocío
Es muy amiga de Juan desde la escuela primaria y ahora
estudian en el mismo instituto. Es alta y delgada, de
aspecto frágil. Es imaginativa y le gusta la magia y la
aventura. Su padre, *Fernando*, trabaja en un banco. Su
madre, *Inés*, es veterinaria.

Más
La gatita encontrada en *El secreto de la cueva* y adop-
tada por Andrés, Juan y Rocío. *Más* vive en casa de
Rocío.

---

[1] En España, en la enseñanza privada se estudia en un colegio desde los 6 años a los
18. Es decir, desde 1.º de Educación Primaria hasta 2.º de Bachillerato. En la enseñanza pública se estudia en un *colegio* la Educación Primaria. Y después se estudia en
un *instituto*.

El lugar de la aventura

MÉXICO

Península del Yucatán

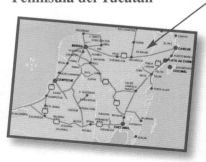

Chichén Itzá

Conjunto arqueológico de Chichén Itzá

Un cazador de sueños o atrapasueños

El penacho del emperador Moctezuma

Calendario maya

Un chamán

Resumen de los libros anteriores:

Libro 1: *El secreto de la cueva*
Libro 2: *La isla del diablo*
Libro 3: *El enigma de la carta*

Durante las vacaciones de primavera del año anterior los tres chicos van de vacaciones a un pueblo, Paredes de Monte, cerca de Valladolid, a casa de los abuelos de Juan y Andrés.

En una cueva encuentran un plano de Valladolid, una carta que se lee mal, un crucifijo con piedras preciosas, una

Plano de Valladolid

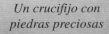

Un crucifijo con piedras preciosas

insignia del diablo. Y una foto con cinco
jóvenes de América Central o del Sur.

Una gata, *Más*, está también en la
cueva. La adoptan y la gata vive en casa
de Rocío. (Ver: *El secreto de la cueva*).

*Una insignia
del diablo*

En verano se van a Lanzarote y allí
encuentran a una persona de la foto, Enrique. Él les da
los nombres de sus amigos: Roberto, Eusebio, Miguel y
Amancio. Les explica por qué se van de México y llegan
a España. Solo Amancio vive en México y es rico. Enrique
piensa que los demás están de nuevo en América.

En el avión de Lanzarote a Madrid descubren que el
plano puede ser de Valladolid, en México y no en España. Su
objetivo es ir a México. (Ver: *La isla del diablo*).

Al empezar el nuevo curso les espera una sorpresa.
El colegio San José, donde estudia Andrés, y el instituto
Zorrilla, donde estudian Rocío y Juan, van a participar en
un intercambio cultural para hermanar ciudades españolas
e hispanoamericanas. Y, en concreto, se van a hermanar
Valladolid de España con Valladolid de México, en la
península de Yucatán. Descifran la carta que encontraron en
la cueva. (Ver: *El enigma de la carta*).

Están en el avión, en ruta a México.

Capítulo 1

En tierra maya

1   —Andrés, despiértate, que nos van a dar otra comida, o una
merienda, no sé bien —le dice Rocío.

—Sí, dormilón. Además estamos llegando —le dice Juan.

Andrés no puede abrir los ojos. Tiene mucho sueño, Rocío y
5   Juan no.

—He dormido mucho —dice y se pasa las manos por los
ojos—, pero todavía tengo mucho sueño. ¿Qué hora es?

—Pues la una de la mañana en España. Las seis de la tarde en
México —dice Rocío.

10   Como tienen hambre, comen mucho. El comandante del
avión informa a los pasajeros de que están volando sobre la
isla de Cuba.

—¡Qué cerca está Cuba de la península de Yucatán! —señala Andrés—, por eso Hernán Cortés llegó tan fácilmente.

—¡Creo que en este viaje vamos a aprender y ver muchas, muchas cosas! ¡Qué bien! —exclama Juan.

—Mirad, mirad, el color maravilloso del mar Caribe. Cancún y la Riviera Maya son playas muy bonitas y… ¡los novios vienen de luna de miel! —dice Rocío.

El avión aterriza en el Aeropuerto Internacional de Cancún. La temperatura es ideal.

—¡Qué aire más bueno! —dice Rocío.

—A mí lo que más me sorprende es oír hablar español —dice Andrés.

—Sí, es verdad, después de muchas horas de vuelo, creemos que llegamos no sé dónde, y el mundo sigue hablando español —comenta Juan.

—Con tu crucifijo en la aduana[2] —dice Andrés— van a pensar que eres familia de Hernán Cortés o una misionera.

Se ríen.

Mientras esperan en el control de policía, unos chicos del grupo están hablando de Hernán Cortés y de Moctezuma, el último emperador azteca antes de Cortés.

—¡Qué pena no ir a México DF[3]! Allí estuvo Tenochtitlán, la capital del imperio azteca —dice Rocío.

---

[2] Ver Libro 3: *El enigma de la carta.*
[3] Es decir, a la capital de México, Distrito Federal, conocida como «el DF».

La bandera mexicana

En dirección a Valladolid

Los estudiantes españoles se juntan en el aeropuerto con los estudiantes mexicanos que los esperan. Cantan, se hacen fotos con las *banderas* de los dos países. Luego suben en dos «camiones»[4] en dirección a Valladolid. 40

Los españoles están cansados por el viaje y el *jet lag*. Los mexicanos son muy amables con ellos. Van a Valladolid por una «carretera de cuota», le explica una estudiante mexicana a Juan. Él le contesta que en España se llama «autopista de peaje». 45

50

En menos de una hora llegan a la residencia. La Universidad Autónoma de Yucatán y la de Oriente colaboran con el proyecto de hermanamiento de las dos ciudades llamadas Valladolid: la de España y la de México. Les dejan sus instalaciones deportivas y habitaciones. 55

Rocío, Juan y Andrés han subido a sus habitaciones. Se instalan y bajan al comedor. Allí, después de cenar, los profesores mexicanos les dan la bienvenida oficial y les explican el programa del día siguiente.

Ven también un vídeo sobre Yucatán, pero a los españoles se les cierran los ojos: tienen sueño. Solo se despiertan un poco 60

---

[4] Camión: autobús.

Flamencos rosas

cuando ven la Reserva de la Biosfera de Río Lagartos, con sus bonitos flamencos rosas, o cuando oyen la marimba[5] y la jarana[5].

Después del vídeo, la directora de la residencia, la señorita Lupe, hace preguntas a los chicos:

Una marimba

—¿Y sabían ustedes que la Malinche, la mujer de Cortés, y su mejor intérprete, era de Tabasco? Muy cerquita de Yucatán.

Juan prefiere hablar para no dormirse. Levanta la mano para responder. Cuenta lo que ha aprendido sobre Malinche, una india que sabía maya y náhuatl[6]. Por eso era una intérprete muy importante. Después aprendió español, y fue todavía más importante para la relación entre Hernán Cortés y el emperador azteca, Moctezuma, y… Los profesores mexicanos están contentos de ver lo que saben los chicos. Los felicitan a ellos y a sus profesores. Y Juan pregunta:

Extracto escritura náhuatl

---

[5] La «marimba» es un instrumento de percusión parecido al xilófono y la «jarana» es una música típica de Yucatán.

[6] La india Malinche fue llamada luego por los españoles «doña Marina». El náhuatl era la lengua de los aztecas.

—Entonces, ¿nos podemos ir a dormir? 85

Todo el mundo se ríe mirando a Juan. Juan se pone colorado. La señorita Lupe se acerca al micrófono y dice:

—El muchacho tiene razón. Están ustedes muy cansados. Órale, a la cama, pues[7].

El día ha sido muy largo para todos y se van a la cama al 90 ritmo de la jarana yucateca.

Malinche,
Hernán Cortés y Moctezuma

---

[7] La profesora es mexicana y así invita a los chicos a ir a la cama. En España la profesora diría: «Pues venga, vamos a la cama, chicos»

capítulo 2

El cazador de sueños

Por la mañana, después del desayuno, los chicos van a visitar Valladolid. Están esperando a los profesores. Juan dibuja. Andrés mira una revista de historia de México. Rocío no hace nada, está triste.

—¿Qué te pasa? —le pregunta Andrés.
—Que no duermo bien si no está *Más* conmigo. Pienso en ella, tan lejos y sola.
—Es verdad, pero tu madre se ocupa de ella muy bien.
—Sí, eso es verdad. Mi madre la quiere mucho.

Miran el dibujo que está haciendo Juan. Tiene colores vivos, verde y rojo sobre todo. En él hay una serpiente y un

águila. También hay dos hombres,
uno es un hombre mayor con un
tambor. El otro, más joven, toca
una especie de xilófono.

15

—Esta vez sí
sabemos lo que
estás dibujando,
¿verdad, Rocío?
—dice Andrés.

*Una serpiente
de colores*

20

—Sí, claro, la serpiente y el águila de la
bandera de México. Pero ¿quiénes son esos
hombres? —pregunta Rocío.

Un águila

—No lo sé, la verdad. El más joven es un
músico con un instrumento que no conozco.

25

—Oye, tengo una idea —dice Rocío—, ¿por qué no aprendemos cada uno de nosotros a tocar un instrumento?

—Bueno, yo no toco mal la flauta —contesta Andrés.

—A mí la guitarra me gusta mucho. La clá-
sica y la eléctrica —dice Juan.

30

—Pues a mí me gusta mucho cantar, como
a ti, Juan. Podemos formar un trío de música y voz.

—Lo pensamos, pero ahora mirad otra vez
el dibujo —insiste Juan—. ¿Quién es el
hombre mayor? Yo sí lo sé.

35

Una flauta india

—¡Ya lo sé yo también! —exclama Rocío—. ¡Un chamán!

—Sí. Mirad, está aquí, en esta revista. Es un «guerrero águila».

40

Un chamán

¿Y sabéis a quién se parece este chamán?

—¡Pues a Amancio! —grita Andrés.

—¡Ah!, he olvidado deciros una cosa —comenta Rocío—. Esta mañana en mi habitación he pasado el péndulo otra vez sobre un plano más grande[8] de Valladolid. Dice lo mismo que en España. Amancio está aquí, pero no en la ciudad.

—Vámonos a conocer Valladolid. ¿Sabéis que la llaman «Sultana de Oriente»? Bonito, ¿no? —les dice Elena, la profesora de Juan y Rocío.

Un péndulo

La ciudad tiene mucha vida. El grupo de los chicos visita el centro histórico. Las calles no tienen nombres como en España. Tienen números como en Estados Unidos. Eso sorprende a los chicos.

Primero van por la calle 42, al Barrio de la Candelaria. Visitan el antiguo telar de «La Aurora». Allí en el siglo XIX se utilizó por primera vez una máquina de vapor[9].

Después pasan por la calle 46 y van a la zona «colonial»[10] y llegan a la plaza central, el Zócalo. Están muy cansados. Los profesores les dan una hora libre, pero no pueden irse lejos.

---

[8] El adjetivo «grande» tiene un comparativo, «mayor». Pero se usa mucho «más grande».

[9] La máquina de vapor fue uno de los grandes inventos que colaboró en la Revolución Industrial del siglo XIX.

[10] «Colonial» se refiere a la época colonial española.

Los chicos, en grupos de amigos, se hacen fotos en la puerta de la catedral y en la fuente de La Mestiza. Es un lugar muy típico, y todos están contentos.

La catedral de Valladolid

El Zócalo

70

Hay mucha gente que vende objetos típicos y muchos turistas. Hay puestos de comida y bebida. Los chicos tienen sed y toman zumos —«jugos» para los mexicanos— y «aguas frescas de sabores»[11].

75

Ven mujeres mayas que venden sus vestidos tradicionales de colores. Rocío compra un «huipil»[12] para su hermana Teresa. Andrés compra otro para su hermana Alicia. También hay muchas

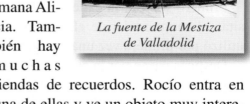

La fuente de la Mestiza de Valladolid

80

Un huipil

tiendas de recuerdos. Rocío entra en una de ellas y ve un objeto muy interesante.

85

---

[11] Nombre que se da en México a las bebidas no alcohólicas de agua, frutas y azúcar.
[12] Un «huipil» es una blusa bordada.

—Por favor, señora, ¿qué es esto?

—Es artesanía de los indios de América. Se llama *dreamcatcher*, o sea, «cazador de sueños». También lo llaman «atrapasueños» —le responde.

—¡Qué nombres más bonitos! ¿Para qué sirve? ¿Cómo funciona?

—Mira, te explico. Se pone a la cabecera de la cama. El anillo simboliza el sol, la vida, la fuerza. Tiene dentro una especie de tela de araña con un agujero en medio, ¿ves? La araña caza los insectos, el atrapasueños atrapa los sueños bonitos y deja escapar los malos por el agujero. Por la mañana las pesadillas se queman con los primeros rayos del sol.

—Y así las malas energías desaparecen, ¿no?

—Exacto. ¿Quieres saber algo más?

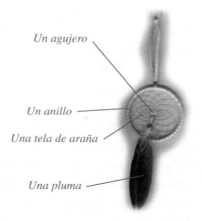

Un agujero

Un anillo

Una tela de araña

Una pluma

Un atrapasueños

—Sí, ¿para qué tienen esas plumas?

—Las plumas simbolizan la respiración. La pluma de búho indica sabiduría y es para las mujeres. La de águila indica valor y es para los hombres.

—Me encanta, señora. Ahora tengo que irme, pero voy a volver a su tienda. Ya sé qué recuerdos voy a comprar.

—Muy bien. Aquí te espero.

Un búho

Cuando Rocío sale de la tienda, Juan y Andrés están hablando con un grupo de chicos. Rocío siente malas vibraciones. Se acerca lentamente.

—Dense prisa —está diciendo uno de los chicos.

—¿Adónde vamos? —pregunta Rocío a sus amigos.

—Les hemos preguntado por el cenote de Dzitnup[13] —dice Andrés—. Yo sé que el cenote Zazi está muy cerquita. A ese podemos ir en un momento. Pero el de Dzitnup está fuera de la ciudad. No tenemos mucho tiempo. Ellos nos pueden conducir al cenote.

El cenote de Dzitnup

—Pero… —empieza Rocío.

—… vamos, Rocío, piensa en el péndulo. Ese cenote está fuera de Valladolid. ¿Y si es el lugar donde está Amancio? —le dice Juan en voz baja.

Rocío se pone a andar con la cabeza baja. Van todos muy rápidamente. Abandonan el centro de la ciudad. Algunos chicos salen de casas o de patios. El grupo se hace más grande. Andrés, Juan y Rocío tienen miedo. Se miran y se cogen de las manos. Saben que van a tener problemas. Llegan a un lugar solitario, un poco lejos de la ciudad. Todos los chicos salen

---

[13] Los cenotes son pozos de agua. Hay muchos cenotes en Yucatán. El agua de la lluvia se filtra y baja a muchos metros de profundidad. A veces el suelo se rompe y se abre una boca en la superficie, como en el Cenote Sagrado de Chichén Itzá. Su forma es casi redonda y tiene unos 20 metros de profundidad.

corriendo y los dejan solos. ¡Ahora sí que tienen un problema! No saben dónde están.

—¿Lo veis? —dice Rocío—. Yo tenía razón.

45 —Bueno, sí, se han reído de nosotros —dice Juan—. Pero no nos ha pasado nada.

—Sí, sí —dice Andrés—, pero ahora no sabemos volver al Zócalo.

—¿Y tu sentido de la orientación? —pregunta Rocío.

50 —No sé. ¡Hemos dado tantas vueltas!

—Pues la hora de tiempo libre ha pasado. ¿Qué hacemos?

Juan tiene una idea. Cerca hay una fábrica. Dentro quizás hay alguien. Los tres corren. En efecto, en la fábrica hay un vigilante de seguridad.

55 —¡Otra vez esos chamacos[14]! —dice—. No son malos los chavos[14], no. Pero siempre les gusta hacer bromas a los turistas. Yo no tengo carro, pero ahorita mismo llamo a la policía y los lleva con su grupo.

La policía llega rápidamente. Los chicos dan las gracias al
60 vigilante. Y se van en el coche de la policía, que hace sonar la sirena.

Están contentos y tienen miedo a la vez. Saben que van a tener problemas.

Cuando llegan a la residencia les espera algo horrible. La di-
65 rectora de la residencia, en nombre de los profesores, les dice:

---

[14] Chamacos, chavos = en España *chicos* y *muchachos*.

—Ustedes tres desobedecieron y pudieron tener un problema muy grande. Y nosotros también. Esto es grave. Por tanto, están ustedes castigados durante tres días, sin ir a Chichén Itzá.

Los tres están tristes. Andrés y Juan se sienten culpables y le piden perdón a Rocío.

—No podemos perder esta ocasión —dice Andrés
—Hemos venido a México para eso —dice Juan.

Entre sollozos Rocío dice:
—Además Chichén Itzá es un lugar lleno de vibraciones mágicas.

Andrés cae enfermo y le sube la fiebre a 40°. El médico no encuentra la causa.

Rocío no puede comer ni beber nada. El médico tampoco sabe qué le pasa. Juan está muy triste. Los demás también. Los profesores se reúnen. Hablan de los chicos. Son buenos. No saben por qué no les han escuchado. Y son muy sensibles. Deben de estar enfermos por eso. Votan si les levantan el castigo. Todos votan «sí». Cuando se lo dicen al grupo, el «hurra»[15] se oye por toda la residencia.

Rocío y Andrés se recuperan en pocas horas.

---

15 Exclamación de victoria y de alegría.

Capítulo 3

La ciudad sagrada de los itzáes

El 22 de marzo empieza la primavera y el *camión* (el autocar) con el grupo va en dirección de Chichén Itzá. Está muy cerca, a 40 km. Salen de Valladolid a primera hora de la mañana. Van a estar todo el día en el conjunto arqueológico.

Andrés está sentado al lado de César, un chico mexicano de su edad. Los dos hablan mucho sobre México y su cultura.

—Andrés, ¿por qué es tan importante para ustedes[16] Chichén Itzá?

---

[16] En España, para hablar coloquialmente se utiliza *tú* y *vosotros*. Para hablar formalmente se utiliza *usted/ustedes*. En Hispanoamérica se usa *ustedes* en lugar de *vosotros*.

—Pues porque es una de las nuevas maravillas del mundo, César. Está en la nueva lista. 10

—¡Me gusta cómo pronuncian ustedes mi nombre!

—Claro, porque en Hispanoamérica «seseáis», y decís «Sésar». Pero a mí también me gusta mucho cómo lo pronunciáis vosotros.

—¿Por qué dices «nueva lista»? 15

—Porque con una encuesta han preguntado a millones de personas cuáles eran las nuevas maravillas del mundo. Y las personas han respondido por móvil y por ordenador.

—Acá decimos «celular» y «computadora» —explica César. 20

—¡Más palabras nuevas! —dice Andrés y escribe las palabras para no olvidarlas.

Un móvil

—¿Y qué lugares ganaron? —pregunta César. 25

—Pues justamente Chichén Itzá.

—¿Y otros más?

—Machu Picchu en Perú, la Gran Muralla China, el Coliseo de Roma...

—¿Ustedes saben jugar a *águila o sol*? 30

Machu Picchu

Andrés le responde que no y César le explica cómo es el juego.

—Hay que pensar en algo, por ejemplo, en si vamos a ver otra maravilla. Si sale «águila», vamos a 35 verla. Si sale «sol», no.

—¡Ah! Es como el juego de *cara o cruz* en España— dice Andrés.

—¡A jugar! —exclama Juan y todo el camión sigue el juego.

Sale «águila».

—¡Padrísimo![17] —grita César muy contento.

Una moneda: cara y cruz

Los profesores piden un poco de silencio. Antes de llegar a Chichén Itzá quieren explicar a los chicos lo que van a ver y lo que pueden hacer.

Chichén Itzá significa «La boca del pozo de los brujos del agua»: Chi ('boca'), Chén ('pozo'), Itzá ('brujos del agua').

Templo de Kukulkán

Kukulkán significa «serpiente emplumada». Es el mismo dios maya que el dios azteca Quetzalcoatl.

El Castillo o Templo de Kukulkán es una pirámide de nueve niveles de 24 metros de altura. Cada lado del templo tiene 91 escalones. Los escalones de cada lado más la base del templo representan los 365 días del año.

Quetzalcoatl

---

[17] En España sería «¡estupendo!, ¡magnífico!».

El Observatorio del Caracol

Hay muchos otros edificios en este conjunto. Uno muy importante 65 es el Observatorio de El Caracol. Los mayas sabían mucho de astronomía. Por ejemplo, cuándo empezaban las estaciones del año. Por eso ahora van a ver el descenso de Kukulkán en el 70 equinoccio[18] de primavera.

El Templo de los Guerreros y de las 1000 columnas o el Juego de Pelota son también lugares interesantes. El Cenote Sagrado es un lugar lleno de misterio. 75

Cuando llegan a Chichén Itzá, Rocío, Andrés y Juan no se separan.

—Yo tengo que subir hasta arriba de la pirámide. Está llena de energía —dice Rocío. 80
—Es verdad, necesitamos energía maya para llevarla a España —comenta Juan.

Calendario maya

—Con ella vamos a ser invencibles e invulnerables —responde Andrés. 85

El tiempo pasa rápido. Los profesores y los estudiantes vi-

---

[18] Los dos equinoccios del año —es decir, los momentos en que el día y la noche son iguales— son los de primavera y otoño.

sitan el conjunto arqueológico. A la hora de la comida están todos muy cansados. Los chicos se sientan para comer e intercambian sus impresiones.

—¡Es increíble! Hay mucha gente. Son turistas. Los turistas están por todas partes —dice Juan.

—Os vais a reír, pero estoy muy emocionada —dice Rocío.

—El Templo de Kukulkán es impresionante. ¿Por qué hay mucha gente enfrente de la escalera norte? —pregunta Juan.

—Porque es donde se ve a Kukulkán. Anda[19], Andrés, explícanoslo otra vez de un modo científico —dice Rocío muy seria.

—Al ponerse el sol —explica Andrés— las nueve plataformas de la pirámide proyectan una sombra de siete triángulos de luz que forman el cuerpo de la serpiente. Van bajando poco a poco, como una serpiente, hasta llegar abajo, hasta el ángulo donde está la cabeza de la serpiente. ¿Lo habéis comprendido?

—La teoría sí, ahora a ver la práctica —dice Juan.

Comienza a oscurecer. La gente se calla. Todos observan la puesta del sol. Las zonas de sombras y de luz bajan poco a poco por los escalones del templo. Se siente una gran emoción entre la gente. Nadie habla.

---

[19] Expresión que se usa para invitar a alguien a hacer algo.

—Concéntrate, Juan. Si no lo ves bien, imagínalo —le dice Rocío.

—No, no, si ya lo estoy viendo, es algo muy emocionante —responde Juan.

—Mucho más de lo que pensaba —dice Andrés, que prefiere verlo por el ojo de la cámara y está haciendo una foto.

La serpiente emplumada ha bajado toda la pirámide. Poco a poco desaparece. Rocío está impresionada por el espectáculo. Al fin dice:

—¿No sentís nada en vuestro interior?

—La foto es muy bonita —responde Andrés mirando a su cámara.

—Pero ¿qué sientes en tu interior?

—No sé qué decirte.

—Pues yo es tan fuerte lo que siento que no tengo palabras —explica Rocío.

Juan no dice nada. Abre su mochila, saca el cuaderno y se pone a dibujar mirando hacia Kukulkán.

Una mochila

Capítulo 4

El Cenote Sagrado

Ahora todo el grupo se prepara para ver el espectáculo de luz y sonido que comienza en unos minutos. Después hay que volver a Valladolid. Los chicos saben que no van a poder encontrar a sus amigos latinoamericanos. Deciden no ver el espectáculo de luz y sonido. No dicen nada a sus amigos y se separan del grupo. Quieren explorar el Cenote Sagrado. Es su última posibilidad de estar solos y de buscar a Amancio.

En la oscuridad de la noche el cenote es impresionante. Los chicos tienen miedo y están nerviosos.

—¿Qué hacemos ahora? —pregunta Andrés.
—En el cenote nada, ¡qué negra está el agua! —contesta Rocío.

—Debe de ser muy profundo. Vamos a echar unas piedras —propone Juan.

—Por favor, Juan, respeta la naturaleza. Eso ahora no nos sirve para nada —dice Andrés.

—Mirad, aquí, ¿qué dice este cartel?

Rocío lee la información de un cartel.

—Dice que había baños de vapor para purificarse en las ceremonias religiosas.

—Sí —dice Juan—. Los mayas creían que Chaac, el dios de la lluvia, vivía en las profundidades del Cenote Sagrado.

El dios de la lluvia: Chaac

—Aquí hay una... ¡entrada...! —exclama Rocío— ¡venid!

—Vamos con ella —dice Juan sin pensarlo.

—¡Rocío! ¡Rocío!, vuelve. Juan, ¿adónde vas?, ¡puede ser peligroso! —grita Andrés.

—Yo siento que aquí dentro hay algo que nos interesa. Entro y luego os lo cuento, adiós —les dice Rocío.

Juan y Andrés se miran y deciden ir con Rocío. Entran por un agujero detrás de Rocío. El camino es difícil y va hacia las profundidades de la tierra. Oyen unos ruidos.

—Callad. ¿No oís nada? —pregunta Andrés y se para.

Los otros se paran también y escuchan.

—Creo que es una ceremonia —dice Andrés—, se oyen tambores.
—¿No oléis a nada? Huele a plantas —dice Rocío.
—Yo creo que es incienso —comenta Juan.

Los chicos avanzan lentamente. El sonido de los tambores se oye cada vez más cerca.

—Estamos llegando al inframundo —dice Andrés.
—Yo he leído que en la mitología maya hay cuatro caminos: rojo, blanco, amarillo y verde. Pero que solo uno conduce al inframundo. ¿Puede ser este?
—Este no es blanco. Eso está claro —contesta Juan a Rocío.

Por unos agujeros de la tierra sale vapor. Se oyen voces y rezos. Han llegado a un lugar desde el que pueden ver sin ser vistos.

—Mirad —dice Rocío en voz muy baja—, esto es un baño de purificación, un temazcal[20].
—Y ese hombre con la túnica blanca debe de ser el sacerdote —dice Andrés.
—O sea, ¡el chamán! —afirma Juan.

---

[20] Temazcal: estos baños rituales son medicinales. Son como una sauna, por ejemplo.

Hay unas personas sentadas en círculo. Están escuchando 60
una ceremonia. En el centro hay piedras muy calientes y plantas. Un chamán canta y echa agua sobre ellas.

El chamán se dirige primero hacia al este. Tocan tambores
de guerra. Pide al fuego limpiar el alma y el cuerpo. Las personas cierran los ojos. 65

Luego el chamán se dirige al
oeste. Tocan tambores muy lentos.
El chamán llama a la madre tierra.
Pasa suavemente sobre la cara de
las personas una rama de romero.

Una rama de romero

70

—El chamán les quita los problemas que tienen: problemas de
dinero, personales, enfermedades —dice Rocío en voz muy,
muy baja.
—¡Fuera, fuera! —gritan los asistentes a la ceremonia.

El chamán se dirige ahora al sur. Se oyen unas flautas. Echa 75
agua sobre cada persona. Y la gente responde con cantos. Empieza una danza cada vez más rápida.
Después siguiendo el gesto del chamán, se sientan otra vez
en círculo. Ahora el chamán se dirige al norte. Se oye una música que imita el viento. La gente está tranquila. Han echado 80
fuera de ellos todos los problemas. Se ponen a cantar.

—Soy paz, soy paz, soy paz.

En ese momento el chamán gira. Mira a los chicos.

—Oye, ¿veis lo que yo veo? —pregunta Andrés.

—Esa cara..., la cara del chamán la conocemos, ¿verdad? —dice Rocío.

—¿Estamos pensando los tres lo mismo? —dice Juan.

—Claro que sí, es Amancio —afirman Andrés y Juan al mismo tiempo.

—El que firma la carta a sus amigos como «Chamán Amancio»[21].

—¡Así que era cierto! ¡Amancio es un chamán!

Los chicos están inquietos. No saben qué hacer. Miran la ceremonia. La gente quiere hablar con el chamán. Él los saluda.

—Tenemos que acercarnos —dice Andrés.

—¿Y qué le decimos? —pregunta Juan.

—Pues la verdad —concluye Rocío—, que conocemos a sus amigos.

Los chicos entran en el temazcal. Se acercan al chamán. El chamán los saluda diciendo palabras muy suaves. Rocío le dice:

—Somos amigos de Eusebio, Enrique, Roberto y Miguel. Queremos hablar…

El chamán no la deja hablar. Le pasa la mano por la boca. Y le dice al oído:

—Síganme.

---

[21] Ver Libro 3: *El enigma de la carta.*

Capítulo 5

Los animales tótem

Amancio va detrás del temazcal. Señala el suelo y los cuatro 1
se sientan en círculo. Hay ropas y objetos para las ceremonias.
Hay mucho olor a incienso. El ambiente y la emoción no dejan
hablar a los chicos.

—¿Cómo se llaman ustedes? —pregunta suavemente el cha- 5
mán.

Rocío, tímidamente, dice su nombre. Luego lo dicen Juan y
Andrés.

—Así que están de excursión en Chichén Itzá, ¿con su familia?
No, sus caras me dicen que no. ¿Quizás con la escuela? Sí, 10

ya veo que sí. Van al cenote, encuentran una entrada, siguen la ceremonia y me reconocen entre la gente… pero lo que no entiendo es cómo…

Entonces Andrés comienza a contarle la historia: las cuevas de Paredes de Monte, la foto[22], el viaje a Lanzarote, la conversación con Enrique[23], la carta que han descifrado, el viaje a México[24]… y la gran sorpresa de saber ahora que lo han encontrado a él, al «guerrero águila».

Amancio está emocionado. Les pasa una rama de laurel sobre la cara mientras pronuncia unas palabras misteriosas. Los chicos tienen los ojos cerrados.

Una rama de laurel

—Me alegra tener amigos discretos como ustedes —dice suavemente—. Saben muchas cosas sobre nosotros. Los amigos tienen secretos en común.

Amancio les cuenta que cuando sus amigos se van de México a causa del accidente[25], él decide irse a la República Dominicana. Trabaja mucho tiempo duramente en una explotación de ámbar[26].

*Una piedra ámbar
con insectos*

---

[22] Ver Libro 1: *El secreto de la cueva.*
[23] Ver Libro 2: *La isla del diablo.*
[24] Ver Libro 3: *El enigma de la carta.*
[25] Ver Libro 2: *La isla del diablo.*
[26] Ámbar: resina fósil de varios colores que se usa para fabricar objetos.

Pero un día tiene suerte y encuentra una gran piedra preciosa.

—¿Cómo era? —pregunta Rocío.

—Era muy bonita, de color azul. Hay muy poco ámbar azul. Ustedes ya saben que el ámbar es una resina. Y a veces en la resina se ven fósiles, como los insectos.

35

—¿Y su piedra qué tenía? —pregunta Juan.

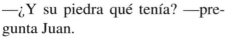

Ámbar azul

40

—Buena pregunta, chico. Tenía el esqueleto casi completo de un dinosaurio joven.

—¡Como en _Parque Jurásico!_[27] —exclama Andrés subiendo la voz.

45

—¡Shhh! Por favor, más bajo.

—Perdone, ¿qué hizo usted entonces?

—La vendí, claro. Los científicos dicen que con estos fósiles se puede dar vida a nuevos dinosaurios.

—¡Ah…! —dicen los tres a la vez.

50

—Gané mucho dinero. Pensé entonces en mis amigos. Estaban en España. Vivían mal. Quería darles dinero.

—¡Qué bueno es usted! —dice Rocío.

—No, no es eso. Es que, en la República Dominicana, sentí que lo sagrado era muy importante para mí, más importante que el dinero. Entendí que el chamán es un puente entre el mundo profano y el mundo sagrado. Es un sacerdote-mago-médico a la vez. Ahora siento que tengo poderes y que puedo conectar los tres mundos: el espiritual, es decir, lo invisible; lo material, es decir, lo terrestre, y el inframundo.

55

60

---

[27] Novela y película de aventuras de ciencia-ficción.

—¿Qué es para un chamán el inframundo? —pregunta Rocío.
—Donde están las almas de los muertos y los demonios…

Los chicos tienen miedo.

—No, ya sé lo que están pensando. No, chamán es lo contrario
de brujo. El chamán utiliza los poderes superiores para crear
energías positivas. El brujo utiliza las energías negativas.

Juan le pregunta:

—Y Eusebio, Roberto y Miguel, ¿dónde están?

El chamán los mira y sonríe:

—Es verdad. Ustedes quieren encontrarlos. No sé exactamente
dónde están, pero sé que están bien.
—Sí, pero si han venido aquí, quizás también podemos verlos
—dice Andrés.

El chamán hace una pausa para reflexionar.

—Bueno, se lo voy a decir porque tengo confianza en ustedes.
Eusebio, Roberto y Miguel vinieron aquí, es verdad. Les di la
mayor parte del dinero. Yo encontré mi camino y no necesito
nada más.
—Y ellos entonces, ¿dónde están?
—Roberto y Miguel son más aventureros. Quisieron volver a
Santo Domingo, a la Costa del Ámbar, a buscar más piedras
preciosas. Eusebio es más espiritual. Quiso volver a la tierra

de sus abuelos en Perú. Tomar contacto con las tradiciones indias.

Rocío entonces le enseña la foto que encontraron en la cue- 85
va de Paredes del Monte. Amancio la mira y se emociona.

—¿Tienen ustedes un animal favorito? —pregunta Amancio.
—Sí, claro, nuestra gata *Más*.
—¿«Nuestra»? Pero ustedes no son hermanos.

Los chicos se ríen. 90

—No, somos amigos, y *Más* es de los tres —dice Rocío—,
pero vive en mi casa.
—Ah, bueno, pero no es su animal tótem.
—Sí, es uno más de nosotros, le contamos todas nuestras aventuras. 95

Amancio hace un silencio y mueve la cabeza. Juan le pregunta:

—¿Qué quiere decir usted cuando habla de un animal tótem?

Amancio saca un juego de cartas de medicina chamánica
y las pone hacia abajo. Forman un círculo: una carta al este, 10
otra al sur, otra al oeste, otra al norte y por fin una en medio: la
montaña sagrada; y dice con un tono solemne:

—Vivimos en una época lejos de la naturaleza y de la magia.
La medicina chamánica está en armonía con nuestra madre

05 La Tierra. Nuestros amigos los animales nos dan una lección de vida porque viven en esta armonía. Cuando te acercas a tu animal tótem, notas su fuerza y vives el gran misterio de la vida con él. Hay que escuchar en silencio y con el espíritu abierto su mensaje.

10   No se oye un ruido. Los chicos miran fijamente las cartas.

—Andrés —dice el chamán—, elige una carta.

Andrés levanta una carta. No la mira y se la da al chamán.

—El caballo.
—Cuando los hombres monta-
15 ron a caballo, empezaron a ser libres —recita el chamán—. Como yo te llevo en mi lomo, así tienes que llevar a los demás. Llevas en tu lomo los sueños
20 de los demás. Tienes el poder, pero también tienes la respon- sabilidad de compartirlo con los demás.

El lomo

Un caballo

    Hay un gran silencio. El chamán hace un gesto a Rocío y
25 esta elige una carta. La pone cerca de su pecho sin mirarla. Luego se la da al chamán:

—El cuervo— dice Amancio.

Los chicos se miran.

—El cuervo es un animal que tiene poderes mágicos. El negro no representa
el mal, como se puede creer. El cuervo
da energía, fuerza. Algo importante va a
haber en tu vida. Estás en un momento
mágico de tu vida.

Un cuervo

Rocío está contenta con las explicaciones. Juan está impa-
ciente por sacar su carta. Levanta una, la mira rápidamente y
dice él mismo satisfecho:

—El águila.
—Allá arriba, el águila se acerca a los cielos donde vive el Gran Espíritu. El águila
te invita a subir a lo alto y ver las cosas de
la tierra de otra manera. El aire te conduce
a otros mundos donde tu espíritu encuentra
su alimento.

Los chicos están emocionados y contentos.

Un águila

—Ahora que conocen su animal tótem les voy a hacer un pe-
queño regalo.

Y saca unos cazadores de sueños.

—Ah, sí —dice Rocío—, los hemos visto en la ciudad.

—Sí, pero estos cazadores de sueños son auténticos, no son los que venden en las tiendas. Miren, terminan por tres colas que representan el mundo
55 vegetal, el mundo animal y el mundo mineral.

Los niños los cogen y los observan con atención.

—Tiene usted razón, son diferentes y
60 más bonitos todavía —dice Rocío.

Un atrapasueños

—Y además los bendigo yo, su amigo el chamán. Los van a proteger siempre.

Juan interrumpe al chamán.

—Señor, por favor, ¿lleva usted algo en el brazo derecho?

65 Amancio sonríe, levanta el brazo de la túnica y enseña dos pulseras. Una es de cuero negro con una piedra de ámbar muy brillante. La otra tie-
70 ne cintas de colores.

—¿Por qué me preguntaste eso, Juan?

—Porque en mi dibujo el chamán lleva unas pulseras.

Unas pulseras

El chamán cierra los ojos, junta las manos y baja la cabeza. 17

—Esta visita es muy importante para mí. Algún día lo van a saber —dice mientras se quita las pulseras y se las da a Rocío—. La de colores era el collar de mi perro *Sam*. Lo quería mucho. Murió ayer. Es para *Más*. La otra es para ti. Sé que te gusta el 18 ámbar y esta pulsera era muy especial para mí.

Los chicos no dicen nada. Rocío besa las pulseras.

—¿*Sam* es *Más* al revés? —pregunta Andrés mientras Amancio vuelve a sonreír y dice que sí con la cabeza.

Amancio se levanta. Los chicos no quieren irse. Pero por fin 18 se levantan y se despiden. Les pasa las manos sobre la cabeza y los bendice de nuevo con la rama de laurel.

—Bueno, ahora deben irse. Sus profesores van a inquietarse.

Los chicos se van, y el chamán repite muchas veces con una voz suave: 19

—Un día nos vamos a ver todos juntos, un día nos vamos a ver todos juntos.

Los chicos salen supercontentos de la cueva. La aventura ha sido extraordinaria. Han vivido unos momentos mágicos. Pero no lo pueden contar a nadie. Solo lo pueden hablar entre 19 ellos. Cuando llegan cerca del grupo de compañeros, todos los están llamando desde los *camiones*. Los profesores se tranquilizan cuando los ven aparecer.

Esa noche no pueden dormir. Los días en Yucatán pasan rápidamente. El avión que va a Madrid es, para los chicos, como una nave espacial que viene de otro planeta.

—¡Qué impresionante!, ¿verdad? —dice Andrés.
—Sí, ahora tenemos que ir a Santo Domingo —dice Rocío.
—Ya, tú lo que quieres son más piedras preciosas —dice Juan.

Los tres se duermen profundamente. Sueñan con los mundos que tienen que descubrir. Van entre las nubes sobre tres caballos alados.

GLOSARIO

Español	Francés	Inglés	Alemán

A

abajo	en-bas	down(stairs)	unten
abierto/a	ouvert	open	offenherzig, offen
abrir	ouvrir	to open	öffnen, aufmachen
abuelos (los)	grands-parents	grandparents	Großeltern
acercarse	s'approcher	to come closer	sich nähern
además	en plus	moreover	außerdem
aeropuerto (el)	aéroport	airport	Flughafen
afirmar	affirmer	to state, to affirm	behaupten
ágil	agil	agile	agil
agua (el)	eau	water	Wasser
águila (el)	aigle	eagle	Adler
agujero (el)	trou	hole	Loch
ahora	maintenant	now	jetzt
aire (el)	air	air	Luft
alado/a	ailé	winged	beflügelt
alcohólico/a	alcoolique	alcoholic	alkoholisch
alegría (la)	joie	happiness	Freude
algo	quelque chose	something	etwas
alguien	quelqu'un	someone	irgendein
algún	quelque	some/any	jemand
alimento (el)	aliment	food, aliment	Nahrung
allá/allí	là-bas	over there	da, dort
alma (el)	âme	soul	Seele
alto/a	haut, grand	tall	hoch, groß
altura (la)	hauteur	height	Höhe
amable	aimable	kind, nice	freundlich
amarillo/a	jaune	yellow	gelb

ámbar (el)	ambre	amber	Bernstein
ambiente (el)	ambiance	atmosphere, environment	Atmosphäre
andar	marcher	to walk	zu Fuß gehen
ángulo (el)	angle	angle	Ecke
anillo (el)	anneau	ring	Ring
antiguo/a	ancien	old	alt, antik
año (el)	année, an	year	Jahr
aparecer	apparaître	to appear	erscheinen, auftreten
aprender	apprendre	to learn	lernen
aquí	ici	here	hier
araña (la)	araignée	spider	Spinne
armonía (la)	harmonie	harmony	Harmonie
arqueológico	arquéologique	archaelogical	archäologisch
arriba	au-dessus	up(stairs)	oben
artesanía (la)	artisanat	handicraft	Handwerk
así	ainsi	so	so
asistente (el/la)	assistant	attending (person)	Teilnehmer
aspecto (el)	aspect	appearance	Aussehen
astronomía (la)	astronomie	astronomy	Astronomie
aterrizar	atterrir	to land	landen
atrapasueños (el)	atttraperêve	dreamcatcher	Traumfänger
auténtico/a	authentique	authentic	authentisch
autopista (la)	autoroute	highway	Autobahn
avanzar	avancer	to move foreward	vorangehen
avión (el)	avion	plane	Flugzeug
ayer	hier	yesterday	gestern
azúcar (el)	sucre	sugar	Zucker
azul	bleu	blue	blau

B

bajar	descendre	to go down	herunterkommen
bandera (la)	drapeau	flag	Flagge
baños (los)	bains	baths	Heilbäder
barrio (el)	quartier	neighbourhood	Stadtviertel
beber	boire	to drink	trinken
bebida (la)	boisson	drink	Getränk
bendecir	bênir	to bless	segnen
besar	embrasser	to kiss	küssen
biólogo/a	biologiste	biologist	Biologe
blanco/a	blanc	white	weiß

boca (la)	bouche	mouth	Mund
bordado/a	brodé	embroidered	bestickt
brazo (el)	bras	arm	Arm
brillante	brillant	bright	glänzend
brujo/a (el/la)	sorcier	warlock, witch	Hexenmeister, Hexe
búho (el)	hibou	owl	Eule
buscar	chercher	to look for	suchen

C

caballo (el)	cheval	horse	Pferd
cabecera (la) de la cama	tête du lit	bedhead	(Bett) Kopfende
cabeza (la)	tête	head	Kopf
cada	chaque	every	jeder
caer	tomber	to fall	fallen
calendario (el)	calendrier	calendar	Kalender
caliente	chaud	hot	heiß, warm
callar	se taire	to shut up	schweigen
calle (la)	rue	street	Straße
cama (la)	lit	bed	Bett
cámara (la) de fotos	appareil de photos	camera	Kamera
camino (el)	chemin	path, way	Weg
cansado/a	fatigué	tired	müde
cantar	chanter	to sing	singen
canto (el)	chant	singing	Gesang
cara (la)	visage	face	Gesicht
carretera (la)	route	road	Landstraße
cartel (el)	affiche	poster	Plakat, Aushang
casa (la)	maison	house	Haus
casi	presque	almost	fast
castigado/a	puni	punished	bestraft
castigo (el)	punition	punishment	Strafe
castillo (el)	château	castle	Schloss
causa (la)	cause	cause (because of)	Ursache (wegen)
caza (la)	chasse	hunting	Jagd
cazador (el)	chasseur	hunter	Jäger
cenar	dîner	to have diner	zu Abend essen
centro (el)	centre	centre	Mitte
cerca de	près de	next to	in der Nähe
ceremonia (la)	cérémonie	ceremony	Feierlichkeit, Zeremonie

cerrar	fermer	to close	schließen
chamán (el)	sorcier, guérisseur	shaman	Schamane
cielo (el)	ciel	sky	Himmel
cinta (la)	ruban	ribbon	Band
círculo (el)	cercle	circle	Kreis
ciudad (la)	ville	town	Stadt
coche (el)	voiture	car	Auto
coger	prendre	to take	nehmen
cola (la)	queue	tail	dickes Ende
colaborar	collaborer	to collaborate	mitarbeiten
collar (el)	collier	necklace	Halskette
color (el)	couleur	colour	Farbe
colorado/a	rouge	red	rot
columna (la)	colonne	column	Säule
comandante (el)	commandant	commander	Kommandant
comedor (el)	salle à manger	dining room	Esszimmer
comenzar	commencer	to begin	anfangen, beginnen
comer	manger	to eat	essen
comida (la)	repas	food, meal	Essen
compartir	partager	to share	mitteilen
comprar	acheter	to buy	kaufen
concentrarse	se concentrer	to concentrate	sich konzentrieren
concluir	conclure	to conclude	beenden
conectarse	se connecter	to connect	einschalten
confianza (la)	confiance	trust	Vertrauen
conocer	connaître	to know	kennen
contar	raconter	to tell	erzählen
contento/a	content	happy	zufrieden
contestar	répondre	to reply	antworten
contrario	contraire	opposite	Gegenteil
control (el)	control	control	Kontrolle
correr	courir	to run	laufen
cosa (la)	chose	thing	Sache, Ding
costa (la)	côte	coast	Küste
crear	créer	to create	schaffen
creer	croire	to believe	glauben
crucifijo (el)	crucifix	crucifix	Kruzifix
cuaderno (el)	cahier	notebook	Heft
cuero (el)	cuir	leather	Leder
cuerpo (el)	corps	body	Körper
cuervo (el)	corbeau	crow	Rabe

cueva (la)	grotte	cave	Höhle
culpable (el/la)	coupable	culprit	schuldig

D

danza (la)	danse	dance	Tanz
dar	donner	to give	geben
decidir	décider	to decide	entscheiden
dejar	laisser	to let	lassen
delgado/a	maigre	thin, skinny	dünn
demonio (el)	démon	demon	Teufel
deportivas (las)	sportif, -ive	sport	sportlich
derecho/a	droit	right	rechts
desaparecer	disparaître	disappear, vanish	verschwinden
desayuno (el)	petit déjeuner	breakfast	Frühstück
descenso (el)	descente	decent	Abstieg
descifrar	déchiffrer	to decipher	entziffern
descubrir	découvrir	to discover	aufdecken
despedir	dire au revoir	to say good bye	verabschieden
despertarse	se réveiller	to wake up	aufwachen
destruir	détruire	to destroy	zerstören
detrás	derrière	behind	hinten
día (el)	jour, journée	day	Tag
diablo (el)	diable	devil	Teufel
dibujar	dessiner	to draw	zeichnen
dibujo (el)	dessin	drawing	Zeichnen
dinero (el)	argent	money	Geld
dios (el)	dieu	god	Gott
dirección (la)	direction	direction	Richtung
dirigir	diriger	to go towards	sich wenden
discreto/a	discret	discreet	diskret
diseñador-a (el/la)	dessinateur	designer	Designer
dormir	dormir	to sleep	schlafen
duramente	durement	harshly	hart
durante	pendant	during	während

E

echar	jeter	to throw	werfen, wegwerfen
edad (la)	âge	age	Alter
edificio (el)	édifice	building	Gebäude, Bau
elegir	choisir	to choose	wählen
emoción (la)	émotion	emotion	Gemütsbewegung
emocionar	émouvoir	to move	innerlich bewegt

emperador (el)	empereur	emperor	Kaiser
empezar	commencer	to start	anfangen
encantar	enchanter, aimer	to enchant	gut gefallen
encontrar	trouver	to find	finden
energía (la)	érnergie	energy	Energie
enfermedad (la)	maladie	illness	Krankheit
enfermo (el)	malade	ill, sick	krank
enigma (el)	égnime	egnima	Rätsel
enseñar	montrer	to show	zeigen
entender	comprendre	to understand	verstehen
entonces	alors	then	damals
entrada (la)	entrée	entrance	Eingang
entrar	entrer	to come in	hereinkommen
entre	entre	between	zwischen
entusiasmo (el)	enthousiasme	enthusiasm	Begeisterung
época (la)	époque	epoch, age	Epoche
escalera (la)	escalier	stairs	Treppe
escalón (el)	marche	step	Stufe
escapar	échapper	to escape	weglaufen
escritura (la)	écriture	writing	Schrift
escuchar	écouter	to listen to	anhören
especial	spécial	special	besonders
especie (la)	espèce	species	Art
espectáculo (el)	spectacle	show	Schauspiel
esperar	attendre	to await	warten
espíritu (el)	esprit	spirit	Geist, Seele
esqueleto (el)	squelette	skeleton	Skelett
estación (la)	saison	season	Jahreszeit
estudiante (el/la)	étudiant	student	Student, Schüler
estudiar	étudier	to study	studieren, lernen
exclamar	exclamer	to exclaim	ausrufen
excursión (la)	excursion	excursion	Ausflug
existir	exister	to exist	bestehen
explicar	expliquer	to explain	erklären
explorar	explorer	to explore	erforschen

F

fábrica (la)	usine	fabrik	Fabrik
fabricar	fabriquer	to make	herstellen
favorito/a	favori	favourite	bevorzugt
felices (feliz)	heureux	happy	glücklich
felicitar	féliciter	to congratulate	gratulieren

fiebre (la)	fièvre	fever	Fieber
firma (la)	signature	signature	Unterschrift
fisioterapeuta (el/la)	kinésithérapeute	physical therapist	Physiotherapeut
flamenco (el) ave	flamand	flamingo	Flamingo
flauta (la)	flûte	flute	Flöte
formar	former	to form, to make	bilden
fósil (el)	fossil	fossil	Fossil
frágil	fragile	fragile	gebrechlich
fruta (la)	fruit	fruit	Obst
fuego (el)	feu	fire	Feuer
fuente (la)	fontaine	fountain	Springbrunnen
fuera	hors, dehors	outside	außen
fuerza (la)	force	strenght	Kraft
funcionar	fonctionner	to function, to work	funktionieren

G

ganar	gagner	to win	gewinnen
gato/a (el/la)	chat	cat	Katze
gente (la)	gens	people	Leute
gesto (el)	geste	gesture	Geste
girar	tourner	to turn	(um)drehen
gritar	crier	to shout	schreien, rufen
grupo (el)	groupe	group	Gruppe
guerra (la)	guerre	war	Krieg
guerrero (el)	guerrier	warrior	Krieger

H

habitación (la)	chambre	(bed)room	Zimmer
hablar	parler	to speak	sprechen
hacia	vers	towards	gegen, nach
hambre (el)	faim	hunger	Hunger
hasta	jusque	until	bis
hermanamiento (el)	jummelage	(town) twinning	Städtepartnerschaft
hermanar	jummeler	to twin (cities)	verbrüdern
hermano/a (el/la)	frère	brother, sister	Bruder, Schwester
historia (la)	histoire	history, story	Geschichte, Erzählung
histórico/a	historique	historic	geschichtlich
hora (la)	heure	hour	Stunde

horrible	horrible	horrible	schrecklich
huele (oler)	sent (sentir)	smells (to smell)	riecht (riechen)

I

idea (la)	idée	idea	Idee
ideal	idéal	ideal	ideal
imaginar	imaginer	to imagine	vorstellen
imaginativo/a	imaginatif	imaginative	einfallsreich
imitar	imiter	to imitate	nachmachen
impaciente	impatient	impatient	ungeduldig
imperio (el)	empire	empire	Reich
importancia (la)	importance	importance	Wichtigkeit
importante	important	important	wichtig
impresión (la)	impression	impression	Eindruck
impresionado/a	impressionné	impressed	beeindruckt
incienso (el)	encens	incense	Weihrauch
increíble	incroyable	incredible, unbelievable	unglaublich
indio/a	indien	indian	indisch
información (la)	information	information	Auskunft
informar	informer	to inform	informieren
informática (la)	informatique	computer science	Informatik
inquietarse	s'inquieter	to worry	sich beunruhigen
inquieto/a	inquiet	worried	unruhig
insecto (el)	insecte	insect	Insekt
insignia (la)	insigne	emblem	Abzeichen
insistir	insister	to insist	bestehen
instalación (la)	installation	installation	Installation
instalar	installer	to settle down	installieren
instituto (el)	lycée	high school	Gymnasium
instrumento (el)	instrument	instrument	Instrument
intercambiar	échanger	to exchange	austauschen
intercambio (el)	échange	exchange	Austausch
interesar	interesser	to be interesting	interessieren
intérprete (el/la)	interprète	interpreter	Dolmetscher
interrumpir	interrompre	to interrupt	unterbrechen
invencible	invincible	invincible	unbesiegbar
invisible	invisible	invisible	unsichtbar
invitar	inviter	to invite	einladen
invulnerable	invulnérable	invulnerable	unverwundbar
ir	aller	to go	gehen
isla (la)	île	island	Insel

J

joven (el/la)	jeune	young	Jüngling, jung
juego (el)	jeu	game	Spiel
jugar	jouer	to play	spielen
juntar	assembler	to get together	versammeln
junto/a	ensemble	together	zusammen
al lado de/ lado(el)	à côté de/ côté	next to, side	Seite

L

largo/a	long	long	lang, weit
laurel (el)	laurier	laurel	Lorbeerbaum
leer	lire	to read	lesen
lejos	loin	far (away)	weit
lento/a	lent	slowly	langsam
levantar	lever, tirer (une carte)	to call off, to draw (a card), to stand up	aufstehen
libre	libre	free	frei
libro (el)	livre	book	Buch
limpiar	nettoyer	to clean	putzen
lista (la)	liste	list	Liste
llamar	appeler	to call	rufen
llegar	arriver	to arrive	ankommen
lleno/a	plein	full	voll
llevar	emporter, porter	to bring, to carry, to wear	tragen, bringen
lluvia (la)	pluie	rain	Regen
lomo (el)	échine	back	Rücken
luego	ensuite	then	nachher
lugar (el)	lieu	place	Ort
Luna (la)	lune	moon	Mond
luz (la)	lumière	light	Licht

M

magia (la)	magie	magic	Zauberei
mano (la)	main	hand	Hand
mañana	demain	morning/ tomorrow	Morgen, Vormittag
máquina (la)	machine	machine	Maschine
mar (el)	mer	sea	Meer, See
maravilla (la)	merveille	wonder	Wunder
maravilloso/a	merveilleux	wonderful	wunderbar

marzo	mars	march	März
material (el)	matériel	material	Stoff
medicina (la)	médecine	medecine	Medizin
médico (el/la)	médecin	doctor	Arzt
medio	milieu	middle	halb
mejor	meilleur	better	besser
mensaje (el)	message	message	Botschaft
merienda (la)	goûter	afternoon snack	nachmittags eine kleinigreit essen
mestizo/a (el/la)	métisse	person of mixed ancestry	Mestize
micrófono (el)	micro	microphone	Mikrophon
miedo (el)	peur	fear	Angst
miel (la)	miel	honey	Honig
mientras	tandis	while	während
mineral (el)	minerai	mineral	Mineral
mirar	regarder	to look at	schauen
misionero/a (el/la)	missionaire	missionary	Missionar
misterio (el)	mystère	mystery	Geheimnis
misterioso/a	mystérieux	mysterious	geheimnisvoll
mitología (la)	mythologie	mythology	Mythologie
mochila (la)	sac à dos	backpack	Rucksack
montaña (la)	montagne	mountain	Gebirge, Berg
montar a caballo	monter à cheval	to ride horseback	reiten
morir	mourir	to die	sterben
mover	bouger	to move	bewegen
muchacho/a (el/la)	jeune garçon	kid, boy, girl	Junge, Mädchen
muerto/a (el/la)	mort	dead	Tote
mujer (la)	femme	woman	Frau
muralla (la)	muraille	wall	Stadtmauer
música (la)	musique	music	Musik
músico (el)	musicien	musician	Musiker

N

nada	rien	nothing	nichts
nadie	personne	no one	niemand
naturaleza (la)	nature	nature	Natur
nave (la)	véhicule spacial	(space) ship	Schiff
necesitar	avoir besoin de	to need	brauchen
negativo/a	négatif	negative	negativ
negro/a	noir	black	schwarz

nervioso/a	nerveux	nervous	nervös
niño/a (el/la)	enfant	child	Kind
nivel (el)	niveau	level	Niveau
noche (la)	nuit	night	Nacht
norte (el)	nord	north	Norden
novios (los)	fiancés, jeunes mariés	just married couple	Brautpaar
nube (la)	nuage	cloud	Wolke

O

observar	observer	to observe, to watch	beobachten
observatorio (el)	observatoire	observatory	Observatorium
ocasión (la)	occasion	occasion	Gelegenheit
ocuparse	s'occuper	to take care of	sich beschäftigen
oeste (el)	ouest	west	Westen
oído (el)	oreille	ear	Ohr
oír	entendre	to hear	hören
ojo (el)	oeil	eye	Auge
oler	sentir	to smell	riechen
olor (el)	odeur	smell	Geruch
olvidar	oublier	to forget	vergessen
ordenador (el)	ordinateur	computer	Computer
orientación (la)	orientation	orientation	Orientierung
oscurecer	obscurcir	to darken	verdunkeln
oscuridad (la)	obscurité	darkness	Dunkelheit
otoño (el)	automne	automn	Herbst

P

padres (los)	parents	parents	Eltern
país (el)	pays	country	Land
palabra (la)	mot	word	Wort
pararse	s'arrêter	to stop	anhalten, stoppen
parecer	ressembler	to look like	aussehen
parque (el)	parque	park	Park
participar	participer	to participate	teilnehmen
pasajero/a (el/la)	passager	passenger	Reisende(r)
patio (el)	cour	courtyard, playground	Innenhof
pausa (la)	pause	break (pause)	Pause
paz (la)	paix	peace	Frieden
peaje (el)	péage	(road) toll	Autobahngebühr

pecho (el)	poitrine	chest	Brust
película (la)	film	movie	Film
peligroso/a	dangereux	dangerous	gefährlich
pelota (la)	ballon	ball	Ball
pena (la)	peine	sorrow	Leid, Schade
péndulo (el)	pendule	pendulum	Pendel
pensar	penser	to think	denken
pequeño/a	petit	little, small	klein
percusión (la)	percussion	percussion	Schlagzeug
perder	perdre	to loose	verloren
perdón (el)	pardon	forgiveness	Verzeihung
perro (el)	chien	dog	Hund
pesadilla (la)	cauchemar	nightmare	Albtraum
piedra (la)	pierre	stone	Stein
pirámide (la)	pyramide	pyramid	Pyramide
planeta (el)	planète	planet	Planet
plano (el)	plan	map	Plan
planta (la)	plante	plant	Pflanze
plataforma (la)	plateforme	platform	Plattform
playa (la)	plage	beach	Strand
plaza (la)	place	square	Platz
pluma (la)	plume	feather	Feder
poco/a	peu	little/few	wenig
poder	pouvoir	can	können, dürfen
poderes (los)	pouvoirs	powers	Macht
ponerse	se mettre	to put, to start	hier: bei Sonnenuntergang
positivo/a	positif	positive	positiv
pozo (el)	puit	well	Brunnen
práctica (la)	pratique	practice	Praxis
precioso/a (piedra)	précieuse	precious (stone)	Edelstein
preferir	préférer	to prefer	vorziehen
preparar	préparer	to prepare	vorbereiten
prisa (darse prisa)	se dépêcher	to hurry	Eile (sich beeilen)
privado/a	privé	private	privat
profano/a	profane	profane	laienhaft
profundamente	profondèment	deeply	tief
profundidad (la)	profondeur	depth	Tiefe
profundo/a	profond	deep	tief
pronunciar	prononcer	to pronounce	aussprechen
proponer	proposer	to suggest	vorschlagen

proteger	protéger	to protect	schützen
proyectar	projeter	to project, to cast	projizieren
proyecto (el)	projet	project	Entwurf, Projekt
pueblo (el)	village	village	Dorf
puente (el)	pont	bridge	Brücke
puerta (la)	porte	door	Tür
puesto (el)	stand de nourriture/ boissons	food and drink stalls	Verkaufsstand
pulsera (la)	bracelet	bracelet	Armband
purificarse	se purifier	to purify	sich reinigen

Q

quemar	brûler	to burn	brennen
quizá(s)	peut-être	maybe	vielleicht

R

rama (la)	branche	branch	Ast
rayo (el) (del sol)	rayon	(sun)beam	Strahl
recitar	réciter	to recite	aufsagen
reconocer	reconnaître	to recognize	erkennen
recuerdo (el)	souvenir	souvenir	Souvenir
recuperar	récupérer	to recover	erholen
redondo/a	rond	round	rund
reflexionar	réflêchir	to think (to reflect)	überlegen
regalo (el)	cadeau	gift, present	Geschenk
reírse	rire	to laugh	lachen
relación (la)	relation	relationship	Beziehung
repetir	répéter	to repeat	wiederholen
residencia (la)	résidence	boarding house	Residenz
resina (la)	résine	resin	Harz
respetar	respecter	to respect	respektieren
respiración (la)	respiration	breathing	Atmen
responder	répondre	to answer	antworten
responsabilidad (la)	responsabilité	responsability	Verantwortlichkeit
revés (al)	à l'envers	upside down	umgekehrt
revista (la)	revue	review	Zeitschrift
rezo (el)	prière	prayer	Beten
rico/a	riche	rich	reich
río (el)	fleuve, rivière	river	Fluss
ritmo (el)	rythme	rhythm	Rhythmus

ritual (el)	rituel	ritual	Ritual
rojo/a	rouge	red	rot
romero (el)	romarin	rosemary	Rosmarin
romper	casser	to break	brechen
ropa (la)	vêtement	clothes	Kleidung
rosa	rose	rose	rosa
ruido (el)	bruit	noise	Lärm
ruta (la)	route	road	Route

S

saber	savoir	to know	wissen
sabiduría (la)	sagesse	wisdom	Weisheit
sacar	sortir, prendre (quelque chose)	to take out	herausnehmen
sacerdote (el)	curé	priest	Priester
sagrado/a	sacré	sacred	heilig
salir	sortir, prendre	to leave, to get out	ausgehen, weggehen
saludar	dire bonjour	to greet	begrüßen
secreto (el)	secret	secret	Geheimnis
sed (la)	soif	thirst	Durst
sensible	sensible	sensitive	gefühlvoll
sentado/a	assis	seated	sitzend
señalar	montrer	to indicate, to show	aufzeigen
separar	séparer	to separate, to split	trennen
serio/a	sérieux	serious	ernst
serpiente (la)	serpent	snake	Schlange
siempre	toujours	always	immer
siglo (el)	siècle	century	Jahrhundert
significar	signifier	to mean	bedeuten
silencio (el)	silence	silence	Ruhe, Stille
simbolizar	symboliser	to symbolize	symbolisieren
sirena (la)	sirène	siren	Sirene
sistema (el)	système	system	System
sol (el)	soleil	sun	Sonne
solemne	solennel	solemn	feierlich
solitario/a	solitaire	lonely	einsam
sombra (la)	ombre	shadow	Schatten
sonido (el)	son	sound	Ton
sonreír	sourire	to smile	lächeln
sorprender	surprendre	to surprise	überraschen

sorpresa (la)	surprise	surprise	Überraschung
suave	doux	gentle	weich
subir	monter	to go up	steigen, hinaufsteigen
suelo (el)	sol	floor	Boden
sueño (el) / tener sueño	rêve/ avoir sommeil	dream, to be sleepy	Traum, müde sein
suerte (la)	chance, destin	luck, chance	Glück
sur (el)	sud	south	Süden

T

tambor (el)	tambour	drum	Trommel
tarde (la)	après-midi	afternoon	Nachmittag
tela (la)	toile	cloth, spiderweb	Stoff
telar (el)	usine textile	textile factory	Webstuhl
temperatura (la)	température	temperature	Temperatur
terminar	terminer	to end, to finish	abschließen, enden
terrestre	terrestre	terrestrial	Erd…
tiempo (el)	temps	time	Zeit
tienda (la)	boutique	shop	Geschäft, Laden
tierra (la)	terre	earth, ground, land	Erde, Land
tocar (un instrumento)	jouer	to play	spielen
todavía	encore	still	noch
tomar	prendre	to take	nehmen
tono (el)	ton	tone	Ton
trabajar	travailler	to work	arbeiten
tradición (la)	tradition	tradition	Tradition
tradicional	traditionnel	traditional	herkömmlich
tranquilizar	tranquilliser	to calm down	beruhigen
triángulo (el)	triangle	triangle	Dreieck
trío (el)	trio	trio	Trio
triste	triste	sad	traurig
túnica (la)	tunique	tunic	Tunika
turista (el/la)	touriste	tourist	Tourist

U

| último/a | dernier | last | letzte |
| utilizar | utiliser | to use | benutzen |

V

vacaciones (las)	vacances	holiday, vacation	Urlaub
valor (el)	courage	courage	Mut
vapor (el)	vapeur	steam	Dampf
varios/as	plusieurs	several	verschiedene
veces (vez) (las)	fois	time(s)	n-mal
vegetal (el)	végétal	plant	pflanzlich
vender	vendre	to sell	verkaufen
venir	venir	to come	kommen
ver	voir	to see	sehen
verano (el)	été	summer	Sommer
verdad (la)	vérité, vrai	truth	Wahrheit
verde	vert	green	grün
vestido (el)	robe	dress	Kleid
veterinario/a (el/ la)	vétérinaire	veterinary	Tierarzt
viaje (el)	voyage	trip	Reise
vibración (la)	vibration	vibration	Schwingung
vida (la)	vie	life	Leben
viento (el)	vent	wind	Wind
visitar	visiter	to visit	besuchen
visto/a	vu	sawn	gesehen
vivo (colores vivos)	vif	bright (colour)	lebhaft
volar	voler	to fly	fliegen
volver	revenir, retourner	to come/go back	zurückgehen, zurückfahren
votar	voter	to vote	abstimmen
voz (voces) (la)	voix	voice	Stimme
vuelo (el)	vol	flight	Flug

Z

zona (la)	zone	zone	Zone
zumo (el)	jus de fruit	(fruit) juice	Saft

GUÍA DE LECTURA

Capítulo 1   *En tierra maya*

Comprensión lectora
Verdadero o falso.

	V	F

1. La isla de Cuba está muy lejos de la península de Yucatán. ☐ ☐
2. El comandante del avión lleva un reloj con dos esferas. ☐ ☐
3. Cancún y la Riviera Maya están en la península de Yucatán. ☐ ☐
4. Cancún está en el mar Caribe. ☐ ☐
5. El avión aterriza en el Aeropuerto Internacional de México DF. ☐ ☐
6. La capital del imperio azteca estuvo en Tenochtitlán. ☐ ☐
7. Los españoles no están cansados por el viaje y el *jet lag*. ☐ ☐
8. Moctezuma era el emperador del imperio maya. ☐ ☐
9. La india Malinche, la mujer de Cortés, era de Yucatán. ☐ ☐
10. Río Lagartos tiene unos flamencos rosas muy bonitos. ☐ ☐

Usos de la lengua
1. Transforma las frases.
Aprendemos > *Vamos a aprender*.

    a. Llegamos.
    b. Hago.
    c. Habláis.
    d. Viajas mucho.
    e. Tiene suerte.

2. Construye una frase según el modelo: *¡Qué* + sustantivo + *más* + adjetivo!
olor/bueno > *¡Qué olor más bueno!*

a. día/bonito
b. viaje/tranquilo
c. chico/simpático
d. color/maravilloso
e. mujer/importante

Capítulo 2

El cazador de sueños

Comprensión lectora
Contesta a las preguntas.

1. ¿Por qué no duerme bien Rocío en Valladolid de México?
2. ¿Qué dibuja Juan?
3. ¿Qué grupo quieren formar los tres chicos?
4. ¿Dónde se hacen fotos?
5. ¿Qué les enseña la vendedora de recuerdos?
6. Cuando siguen a los chicos mexicanos, ¿adónde llegan?
7. ¿Quién los lleva a la residencia?
8. ¿Qué castigo reciben por llegar tarde?

Usos de la lengua
1. Transforma las frases.

_Es_ tarde. > _Se hace_ tarde.

a. Es tarde y no se ve.
b. Es viejo y duerme mucho.
c. Es difícil trabajar así.
d. Es mayor y no quiere trabajar.
e. El viaje es largo y estamos cansados.

2. Completa con _mí, ti._

Me gusta cantar como a … > Me gusta cantar como a _ti_.

a. Este regalo es para …, porque es mi cumpleaños.
b. Pienso en … todo el día.

c. A … me encanta el viaje.
d. Todo esto es para …, yo ya he comido.
e. Esto es muy fácil para … , pero a … me parece difícil.

Capítulo 3 / _La ciudad sagrada de los itzáes_

Comprensión lectora
Señala las afirmaciones que te parecen exactas.
1. Chichén Itzá está cerca de Valladolid (de México).
2. Chichén Itzá significa la «serpiente emplumada».
3. Chichén Itzá es una de las «nuevas maravillas del mundo».
4. Machu Picchu en Perú es otra de las «nuevas maravillas del mundo».
5. El templo de Kukulkán es una pirámide de nueve niveles de 42 metros altura.
6. Los mayas sabían mucho de astronomía.
7. Los escalones de «El Castillo» representan las cuatro estaciones del año.
8. Al ponerse el sol, la pirámide proyecta una sombra de nueve triángulos de luz que forman el cuerpo de la serpiente.
9. En Hispanoamérica se «sesea».
10. Los chicos aprenden muchas palabras nuevas en español.

Usos de la lengua
1. Escoge la opción correcta.
Se sientan para comer (_e, y_) intercambian sus impresiones.
> Se sientan para comer _e_ intercambian sus impresiones.
a. Es alto (e, y) inteligente.
b. Tiene entusiasmo (e, y) alegría.
c. Tengo sueño (e, y) hambre.
d. Estudia geografía (e, y) historia.
e. Es interesante (e, y) importante.

2. Reemplaza por un pronombre.

Explícanos *lo que pasa*. > *Explícanoslo*.
a. ¿Puedes darme *la dirección*?
b. Está haciéndoles *un dibujo*.
c. Enséñanos *las fotos*.
d. Cántame *las canciones mexicanas*.
e. Préstanos *la cámara*.

Capítulo 4 / *El Cenote Sagrado*

Comprensión lectora
Elige la opción correcta.

1. Los chicos deciden explorar el Cenote Sagrado:
   a. para buscar a Amancio.
   b. porque están nerviosos.
   c. para buscar un tesoro.
2. Los chicos entran en el Cenote Sagrado y:
   a. ven agua por todas las partes.
   b. oyen sonidos de tambores.
   c. escuchan gritos de animales.
3. En el temazcal la gente:
   a. canta y baila.
   b. toma un baño de vapor.
   c. duerme.
4. Los chicos están inquietos porque:
   a. no saben cómo acercarse al chamán.
   b. tienen miedo de la gente.
   c. están perdidos.
5. El chamán dice a los chicos «síganme»:
   a. porque los ha reconocido.
   b. porque Juan le ha dicho que conocen a Enrique, Eusebio, Roberto y Miguel.
   c. porque Rocío le ha dicho que quieren hablar con él.

Usos de la lengua

1. Transforma las frases.

Allí hay baños de vapor. > *Dice que allí **había** baños de vapor.*

a. Los chicos escuchan sonidos de tambores. *Dice que…*
b. Tú le quitas los problemas.
c. El chamán invoca a la madre Tierra.
d. Hay muchos turistas en Chichén Itzá.
e. Los tres piensan lo mismo.

2. Transforma las frases.

Oigo voces. > *Se oyen voces.*

a. Veo a muchas personas.
b. Canta canciones.
c. Busca aventuras.
d. Cierra los ojos.
e. Invoca a los espíritus.

Capítulo 5   *Los animales tótem*

Comprensión lectora

Contesta a las preguntas.

1. ¿Cómo se sienten los chicos?
2. ¿Qué le cuenta Andrés al chamán Amancio?
3. ¿Qué encontró Amancio en Santo Domingo?
4. ¿Dónde están ahora Eusebio, Roberto y Miguel?
5. ¿De dónde eran los abuelos de Eusebio?
6. ¿Qué hace Amancio con el juego de cartas de medicina chamánica?
7. ¿Qué les regala Amancio a cada uno de los chicos?
8. ¿Qué le pregunta Juan al chamán?
9. ¿Qué dos regalos más le da Amancio a Rocío?
10. ¿Qué le ha pasado a *Sam*, el perro de Amancio?
11. ¿En qué nueva aventura piensan los chicos?

Verdadero o falso.
1. Amancio les pasa una rama de laurel sobre la cara.
2. Amancio les cuenta que sus amigos se han ido de México para hacer turismo.
3. El ámbar es una resina.
4. Un chamán es un sacerdote-mago-médico a la vez.
5. El animal tótem de Andrés es un cuervo.

Usos de la lengua
1. Completa con una preposición: *a, de, en, sobre*.
El águila se acerca …… los cielos. > El águila se acerca *a* los cielos.
a. El avión vuela …… Cuba.
b. Algo importante va …… pasar en tu vida.
c. Amancio habla a los chicos …… su animal tótem.
d. Saben muchas cosas …… nosotros.
e. Están de excursión …… Chichén Itzá.

2. Forma adverbios.
Rápido/a. > *Rápidamente*.
a. Profundo/a   d. Tranquilo/a
b. Suave   e. Lento
c. Fácil

1.ª edición: 2012
10.ª impresión: 2022

© Edelsa Grupo Didascalia S.A.

Autor: Alonso Santamarina
Dirección y coordinación editorial: Departamento de Edición de Edelsa
Diseño de cubierta: Departamento de Imagen de Edelsa
Maquetación: Estudio Grafimarque
Ilustraciones: Ángeles Peinador
Fotografías: Archivo Edelsa

ISBN: 978-84-7711-704-9
Depósito legal: M-25591-2012
Impreso en España /*Printed in Spain.*

Cualquier forma de reproducción de esta obra solo puede ser realizada con la autorización de la editorial, salvo excepción prevista por la ley. Diríjase a CEDRO (Centro Español de Derechos Reprográficos, www.cedro.org) si necesita fotocopiar o escanear algún fragmento de esta obra.